科学実験対決漫画

実験対決
㊼ 感染と伝染病の対決

내일은 실험왕 ㊼

Text Copyright © 2019 by Story a.

Illustrations Copyright © 2019 by Hong Jong-Hyun

Japanese translation Copyright © 2024 Asahi Shimbun Publications Inc.

All rights reserved.

Original Korean edition was published by Mirae N Co., Ltd.(I-seum)

Japanese translation rights was arranged with Mirae N Co., Ltd.(I-seum)

through VELDUP CO.,LTD.

科学実験対決漫画

実験対決
㊼ 感染と伝染病の対決

文:ストーリーa.　絵:洪鐘賢

目次

第1話　待望のベスト8対決の結果　8
科学ポイント　ペスト、伝染病の種類
理科実験室①　家で実験　洗剤の役割を理解する　28

第2話　目には目を、歯には歯を　30
科学ポイント　人獣共通の伝染病、感染症の媒介
理科実験室②　世の中を変えた科学者
　　　　　　　自然発生説を否定した科学者たち　52
G博士の実験室1　予防接種　53

第3話　見えなくても存在するもの　54
科学ポイント　顕微鏡と望遠鏡
理科実験室③　生活の中の科学　さまざまな感染症　74

第4話　再審反対要請書　76
科学ポイント　風邪とインフルエンザ、ウイルス、スペイン風邪
理科実験室④　理科室で実験　水滴顕微鏡作り　98
G博士の実験室2　スーパーバクテリア　101

第5話　本当にインフルエンザだったらどうする？　102
科学ポイント　インフルエンザ検査法、クロマトグラフィー
理科実験室⑤　対決の中の実験
　　　　　　　クロマトグラフィー色素分離実験　126

第6話　友情の証、そして別れ　128
科学ポイント　抗ウイルス薬
理科実験室⑥　実験対決豆知識　感染と伝染病　156

登場人物（とうじょうじんぶつ）

ウジュ

所属（しょぞく）：韓国代表実験クラブＢチーム（かんこくだいひょうじっけんくらぶビーちーむ）
観察内容（かんさつないよう）・みんなが緊張（きんちょう）する状況（じょうきょう）でも、絶対（ぜったい）に気後（きおく）れしない朗（ほが）らかな少年（しょうねん）。
・自分（じぶん）の直感（ちょっかん）を信（しん）じて突進（とっしん）する行動派（こうどうは）だが、誰（だれ）ひとり彼（かれ）の直感（ちょっかん）を信（しん）じてはいない。
観察結果（かんさつけっか）：勝利（しょうり）に対（たい）するこだわりと粘（ねば）り強（づよ）さで、韓国Ｂチーム（かんこくビーちーむ）の新（あたら）しいエースに浮上（ふじょう）する！？

ウォンソ

所属（しょぞく）：韓国代表実験クラブＢチーム（かんこくだいひょうじっけんくらぶビーちーむ）
観察内容（かんさつないよう）・自分（じぶん）の感情（かんじょう）を表（おもて）に出（だ）さないポーカーフェイスのリーダー。
・どんな困難（こんなん）にぶつかっても簡単（かんたん）に揺（ゆ）らぐことなく、冷静（れいせい）に問題（もんだい）の本質（ほんしつ）を見抜（みぬ）く。
観察結果（かんさつけっか）：ほぼ他人（たにん）に関心（かんしん）はないが、不思議（ふしぎ）なことにハルの頼（たの）み事（ごと）は断（ことわ）れない。

ラニ

所属（しょぞく）：韓国代表実験クラブＢチーム（かんこくだいひょうじっけんくらぶビーちーむ）
観察内容（かんさつないよう）・あまりにも異（こと）なるチームメートの気持（きも）ちを細（こま）かく察（さっ）し、それぞれに合（あ）った励（はげ）まし方（かた）をする。
・他（ほか）に気（き）を取（と）られることなく、常（つね）に落（お）ち着（つ）いた態度（たいど）で実験練習（じっけんれんしゅう）に臨（のぞ）む少女（しょうじょ）。
観察結果（かんさつけっか）：ウジュが自分（じぶん）の誕生日（たんじょうび）を覚（おぼ）えていることに思（おも）わず顔（かお）を赤（あか）らめる。

ジマン

所属：韓国代表実験クラブBチーム

観察内容・自分の直感だけを信じて行動するウジュが、いつか事故を起こすのではないかとハラハラする。
・他のチームのメンバーとも親しくしているが、その中でもイギリスチームのリズと一番仲がいい。

観察結果：リズの幸せは自分の幸せだと思っている。

ハル

所属：韓国代表実験クラブAチーム

観察内容・しっかり者と呼ぶにはほど遠いアッケラカンとした少女。
・おならのニオイで対決会場を混乱させるオッチョコチョイな一面もある。

観察結果：科学を通じて生命を守る科学者になりたいと強く願う少女。

その他の登場人物

❶ ベスト8の対決後、怪しい作戦を繰り広げるユウト。
❷ 本格的に実力を発揮し始めたトーマス。

第1話 待望のベスト8対決の結果

実験対決　理科実験室❶　家で実験

実験　洗剤の役割を理解する

手洗いは最も簡単に病気を予防する方法の1つです。日常生活の中で、手はさまざまな細菌やウイルスにさらされているので、手が清潔でなければいろいろな病気にかかる可能性が高まります。したがって、きれいに手を洗うだけでも食中毒や風邪、下痢など、いろいろな病気を予防できます。手を洗うときは、主に石けんなどの洗剤を使いますが、このとき洗剤はどんな役割をするのか、簡単な実験を通じて、確認してみましょう。

準備する物　水、皿、コショウ、台所用洗剤

❶ 皿に2分の1ほどの高さまで水を注ぎます。

❷ 水の上にコショウをたっぷりふりかけます。

❸ コショウが浮いている水に指をそっとつけ、変化を観察します。

❹ 次に、台所用洗剤をつけた指を水にそっとつけ、変化を観察します。

❺ ❸の場合、コショウが水の上でそっと動くだけで、特に変化はありませんが、❹の場合はコショウが台所洗剤をつけた指の近くから遠くに離れました。

どうしてそうなるの？

　　コショウは水の表面張力のため水の上に浮きます。表面張力は、液体の表面をできるだけ小さな面積にしようとする力で、液体表面の境界面で力が働きます。何もつけていない指を水につけても特に変化は起こりませんが、台所用洗剤をつけた指を水につけるとコショウが指から遠ざかります。このようにコショウが台所用洗剤をつけた指から遠ざかった理由は、台所用洗剤の中の界面活性剤が水の表面張力を弱めたからです。界面活性剤は物質間の境界を壊す物質で、表面活性剤とも呼ばれます。この界面活性剤が水と汚染物質の境界にくっつき、汚れが落ちるのです。界面活性剤は台所用洗剤や石けん、歯磨き粉、シャンプーなど、汚れを洗い流す生活用品に使用されています。

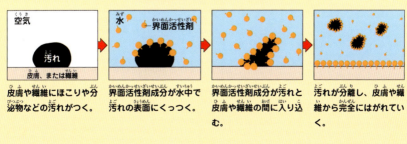

界面活性剤が汚れを除去する過程

| 空気
汚れ
皮膚、または繊維
皮膚や繊維にほこりや分泌物などの汚れがつく。 | 水　界面活性剤
界面活性剤成分が水中で汚れの表面にくっつく。 | 界面活性剤成分が汚れと皮膚や繊維の間に入り込む。 | 汚れが分離し、皮膚や繊維から完全にはがれていく。 |

第2話 目には目を、歯には歯を

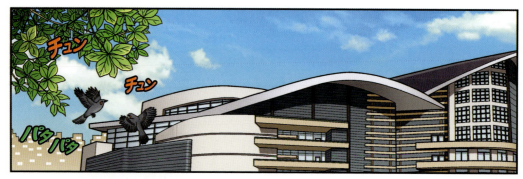

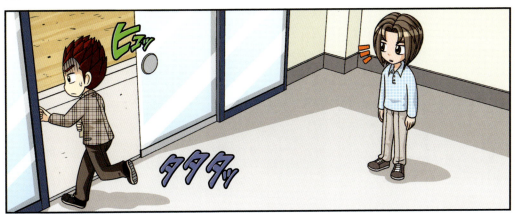

ユウト、待って……。

実験対決　理科実験室❷　世の中を変えた科学者

自然発生説を否定した科学者たち

　生物はどうやって生まれるのでしょうか？ 多くの学者は、生物が無生物から自然に生まれるという「自然発生説」を主張していました。しかし、一部の学者は生物が生まれるには必ずその親が存在しなければならないと主張しました。つまり、生物は生きている別の生物を通じて生まれるということです。そして、自然発生説を否定

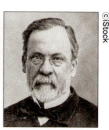

フランチェスコ・レディ（左、1626〜1697）とルイ・パスツール（右、1822〜1895）

するために、レディやパスツールなど多くの科学者の努力がありました。そのうち、イタリアの医師・生物学者レディは対照実験を通じて自然発生説を否定しようとしました。レディは2つの瓶の中に生肉のかたまりを入れ、瓶の1つにはフタをせず、残り1つの瓶には布でフタをした後、ウジの発生を観察しました。しばらく後、フタをした瓶には何の変化もなく、フタをしなかった瓶にはウジが発生していました。この実験を通じてレディは、ウジは自然に発生するのではなく、ハエが卵を産んだからこそ発生するのだと、自然発生説を否定しました。さらに、フランスの生化学者・細菌学者パスツールは、より厳密な実験で自然発生説を否定しました。パスツールはフラスコに熱処理を施し、フラスコの首を白鳥の首のように長くして曲げました。そして、そのフラスコに肉汁が入った溶液を入れて煮沸しました。数日経っても溶液中にはいかなる微生物も発生しませんでした。溶液が沸いて生じた水蒸気が曲がったフラスコの首にたまり、微生物を水滴が吸収することで、微生物が溶液内に入らないよう防いでくれたのです。その後、フラスコの首を切って溶液が微生物を含んだ空気にさらされると、微生物が増殖し溶液が腐敗し始めました。パスツールは、この実験により、溶液中で微生物が繁殖するのは空気中に存在する微生物のせいであることを証明し、自然発生説を否定することができたのです。

白鳥の首のフラスコは微生物の流入を防いでくれるんだ。

博士の実験室 1

予防接種

予防接種は、感染症を予防するためのもので、菌を殺したり毒素を弱めたりするなどして作ったワクチンを投与して、伝染病に対する免疫をつけるんだ。

国では感染症の流行を予防し管理するために「予防接種法」を施行しており、対象の感染症によって予防接種の時期とワクチンの種類などについての基準を定めています。

子どもが対象の予防接種の例 (2023年現在)	
年齢	対象の感染症
生後2カ月目以降	ジフテリア・破傷風・百日咳・ポリオ
生後2カ月目以降	肺炎球菌
生後2カ月目以降	インフルエンザb型
3歳以降	日本脳炎
11〜12歳以降	HPV（ヒトパピローマウイルス）

ワクチンの種類や注意事項など、予防接種についてより詳しい情報を知りたい場合、厚生労働省のホームページなどを参照するといいぞ。

第3話

見えなくても存在するもの

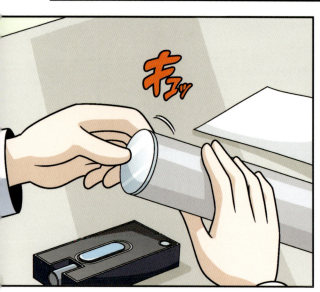

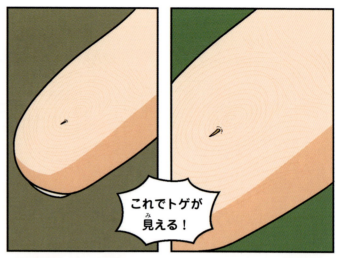

科学漫画サバイバルシリーズ15周年
必ずもらえる！全員プレゼント
応募用紙

この応募用紙をハガキに貼って送ってね！

1	2	3	4	5
		3枚コース		5枚コース
6	7	8	9	10
				10枚コース
11	12	13	14	15
16	17	18	19	20
				20枚コース

①郵便番号　　②ご住所

③お名前（ふりがな）　　④電話番号

⑤年齢　　歳　　⑥学年　　⑦性別　男 ・ 女 ・ 無回答

⑧希望するグッズに〇をつけてね。　A・B・C・D　　⑨サバイバルで読みたいテーマ

⑩メールアドレス

【保護者の方へ】朝日新聞出版では、児童書などについてアンケートや取材などをお願いすることがございます。今後、アンケートや個別のご質問にご協力いただくことは可能でしょうか。

協力する　・　協力しない

読めるサイト
書館

※読むには、朝日IDとサバイバルメルマガ会員の登録が必要です（無料）

最初は大人と一緒にアクセスしてね！

ウェブサイトはこちら！

© Han Hyun-Dong /Mirae N

巨大地震のサバイバル

原案：洪在徹
漫画：モンドカン
監修：大木聖子

2月20日発売

朝日新聞出版より「科学漫画サバイバル」シリーズ新刊一冊

大きな地震が発生したとき、何が起きるのか。
身を守るためには、どう行動すればいいのか。
子どもたちに伝えるために、『巨大地震のサバイバル』の制作を進めていたさなか、能登半島で最大震度7の巨大地震が発生しました。

地震でこわくなられた方々のご冥福をお祈りし、
ご遺族の皆様にお悔やみを、また、被災された方たちにお見舞いを申し上げます。

救助や復旧支援に尽力されている皆様には、深い敬意を表すとともに、
1日も早い復興をお祈りして、この本が、子どもたちの防災意識を高める一助となりましたら、うれしく思います。

朝日新聞出版は、2024年1月に発生した能登半島地震の被害を受けて、
本書の収益の一部を朝日新聞直宝文化事業団を通じて寄付させていただきます。

サバイバル通信

シリーズ 29号 2024 12冬

キミのイチオシは、どの本!?

サバイバル応援メッセージ

トンネルのサバイバル

僕の家は父が所持する高級車のトンネルの本を読んで、高級車で行くところ、道路で走ることが多いので、本を本購入しました。特に最初に一つ一番気に入ったのは、「トンネルのサバイバル」の1巻、15巻です。今後も、必ず買いたいです。(ババイバル大好き)

氷点のサバイバル

目次を書きます。地震が起こって倒れる、上段頭が入ったら氷水が冷たくなるたいへんだ。と思いました。自分を守るつもりで、「氷点のサバイバル」を読みました。ようこそ!! ii 14 GT-R)

昆虫世界のサバイバル 改訂版

昆虫は光にひっつくりします。(どんな昆虫があり食べるのですね。カブトムシの蜜には行ったら死ぬかいいんですが。出ないというのと、ワクワクしました。(リル でんすけ)

水害のサバイバル

ジオたちがはって水を運していた場面が好きでした。このバケツリレーみたいな水の家がある一番おもしろいところです。(リル 14)

◆メールの宛先
junior@asahi.com
※お便りの内容は、雑誌やウェブに掲載させていただくことがあります。

◆郵便の宛先
〒104-8011
(住所不要)朝日新聞出版
生活・文化編集部
『ジュニアエラ』編集部
「サバイバル係」

①コーナー名 ②郵便番号 ③住所 ④電話番号 ⑤お名前(本名・ペンネーム) ⑥年齢 ⑦学年 ⑧性別 ⑨学校名 ⑩好きな本のタイトルを書いて、ぜひ送ってください。

サバイバル応援団、大募集!

『サバイバル』シリーズのファンクラブを結成するにあたって、『サバイバル』シリーズのファンの、きみの応援を大募集するよ!
※お届けの内容は、雑誌やウェブに掲載させていただくことがあります。

実験対決　理科実験室❸　生活の中の科学

さまざまな感染症

　ウイルスや細菌などの病原体が生物の間で広がることを「感染症」といいます。特に生物から生物へ感染が拡大し、集団的に流行する病気を「伝染病」といいます。多くの人が一定の時間と空間を共にする学校や会社のオフィスなどで流行しやすく、学校で流行すると、学校保健安全法に基づいてクラスを学級閉鎖したり、ひどい場合は臨時で学校を休校したりすることもあります。代表的な感染症の種類と症状について見ていきましょう。

麻疹（はしか）

　麻疹ウイルスによる急性の発熱性、発疹性の感染症で、発熱やせき、鼻水、結膜炎、口の中の白い斑点（コプリック斑）、肌の赤い発疹など、さまざまな症状が現れます。診断方法としては、症状の観察、血液検査、鼻粘膜の分泌物などを利用した抗体検査などがあり、ワクチン接種で予防できます。

はしかによって発生した肌の赤い発疹

流行性耳下腺炎（おたふく風邪）

　ムンプスウイルスによる感染症です。症状としては発熱や頭痛、嘔吐、筋肉痛などがありますが、その中で最も特徴的な症状が耳の下にある唾液腺（耳下腺）や下顎に位置する唾液腺（顎下腺）の腫れです。悪化すると難聴や不妊などになる可能性があります。時間の経過にともない自然治癒するため、特別な治療は必要ありませんが、痛みがひどい場合は痛み止めを投与することができます。流行性耳下腺炎はおたふく風邪とも呼ばれ、ワクチン接種により予防します。

手足口病

　口の中や手、足に水ぶくれができる感染症で、幼児を中心によく発症します。手や足などの皮膚発疹と水ぶくれ、かゆみ、口の中の水ぶくれや潰瘍などの症状が現れます。時間の経過にともない自然治癒しますが、症状によっては点滴や解熱剤などを投与することもあります。

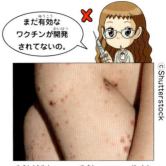

手足口病により手足にできた発疹

インフルエンザ

　インフルエンザウイルスによる感染症で、高熱や頭痛、筋肉痛、全身の倦怠感などの症状が現れます。体液やたんなどを利用して抗原検査をしたり、血液で抗体検査をしたりして診断でき、オセルタミビルなどの抗ウイルス薬を投与して治療できます。

水痘（水ぼうそう）

　水痘・帯状疱疹ウイルスによる感染症で、微熱やかゆみ、皮膚の発疹、水ぶくれ、膿疱などの症状が現れます。時間の経過にともない自然治癒するため特別な治療は必要ありませんが、発疹や傷跡、発熱への対処が必要な場合もあります。

水痘による皮膚の水ぶくれ

新型コロナウイルス感染症（COVID-19）

　新型コロナウイルスによる感染症です。感染しても無症状の場合もある一方、重症化することもあり、さまざまな症状がみられます。発症すると、呼吸器症状、高熱、下痢、味覚障害などが起こることがあり、とくに高齢者や心臓病、糖尿病などの基礎疾患がある人は、重症の肺炎になりやすいとされています。2019年に発見され、20年以降は世界中に感染が拡大しました。同年に「国際的に懸念される公衆衛生上の緊急事態」が世界保健機関（ＷＨＯ）によって宣言され、この「緊急事態」は23年に終了が宣言されるまで、3年以上続きました。

第4話

さいしんはんたいようせいしょ
再審反対要請書

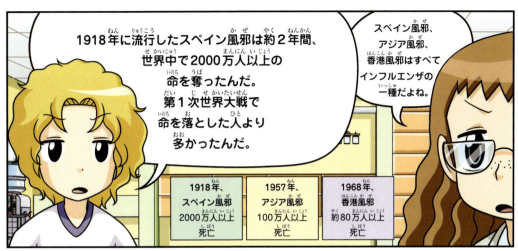

水滴顕微鏡作り

実験報告書

実験テーマ
水滴顕微鏡でタマネギの細胞を観察し、顕微鏡が科学の発展に及ぼした影響を考えてみましょう。

準備する物

❶箱　❷つまようじ
❸タマネギ表皮のプレパラート（100ページ参照）
❹アルミホイル　❺＊OHPフィルム2枚　❻水　❼両面テープ
❽スマートフォン　❾物差し　❿カッター　⓫ハサミ

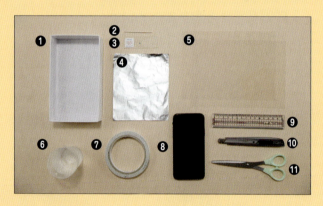

実験予想
水滴顕微鏡でタマネギの表皮を拡大して細胞を観察することができるでしょう。

注意事項
❶ 先の尖った道具を使うときはケガをしないように気をつけましょう。
❷ 水滴の大きさはアルミホイルに開けた穴の大きさと同じくらいにします。
❸ 水滴顕微鏡で観察する際、顕微鏡と実験者の目の距離が近い方がよく観察できます。

＊OHPフィルム：非常に透明な、台紙つきのインクジェット用の透明フィルム

実験方法

❶ アルミホイルを縦横2cmの大きさに切った後、つまようじで真ん中に穴を開けます。

❷ 2枚のOHPフィルムの間にアルミホイルをはさんで両面テープで固定します。

❸ 箱の中央部を長方形に切り抜き、その上にタマネギ表皮のプレパラートをのせます。

❹ OHPフィルムの両端を2cmずつ折って足を作った後、タマネギ表皮のプレパラートの上にのせます。

❺ つまようじを利用してアルミホイルの穴の真上に水滴を垂らします。

❻ スタンドの下にスマートフォンのライトをおいて、タマネギ表皮を観察します。

❶

❷
＊OHPフィルムの大きさ 縦4cm、横10cm

❸

❹

❺

❻

スマートフォンが暗い色の場合、上に白い紙をのせてあげてね。

実験対決　理科実験室❹　理科室で実験

タマネギ表皮のプレパラートの作り方

❶カッターを利用して、タマネギに縦横1.5cmの大きさの溝を開けます。

❷ピンセットでタマネギ表皮をむいた後、メチレンブルーなどの染料で染めます。

❸スライドグラスに色を染めたタマネギ表皮をのせ、カバーグラスをかけます。

❹ろ紙を利用してカバーグラスの外にもれ出た染料を取り除きます。

実験結果

水滴顕微鏡を通じて、タマネギ表皮の細胞を観察することができます。

どうしてそうなるの？

顕微鏡は、目で見えないほど小さな物体を拡大して観察する実験器具です。電子線を利用する「電子顕微鏡」と、紫外線を利用する「蛍光顕微鏡」など、さまざまな種類がありますが、その中でもっとも一般的に使用するのは、光の屈折と2つの凸レンズを利用して物体を拡大する「光学顕微鏡」です。実験で、水滴顕微鏡を通じてタマネギの表皮細胞を観察できる理由は、アルミホイルの穴の上にある水滴が、近くの物体を大きく見せる凸レンズの役を担ったからです。水滴のように凸レンズの役割をするものには、水が入っている金魚鉢やガラス玉、ガラス棒などがあります。顕微鏡を通して肉眼では見られなかった微生物の世界が明らかになり、さらに病気を引き起こす細菌やウイルスも研究できるようになりました。

水滴の下の字が大きく見える！

本の上に落ちた水滴

博士の実験室2

スーパーバクテリア

多くの科学者らの努力によって、感染症に対するワクチンや治療法が開発されたんですね。それによって多くの命が救われたんでしょう。

でも、細菌やウイルスの抵抗も侮れないぞ。生き残るために大小の変異を起こしてきたんだ。

ただしょっぱかった食べ物が！石まで入った食べ物に変異したんだ！

スーパーバクテリアはこれまで開発されたどんなに強い抗生剤でも死なない細菌のことを言うんだ。抗生剤を使いすぎたせいで変異した細菌が耐性を持ったんだ。つまり、突然変異の細菌なんだ。

黄色ブドウ球菌
メチシリン抗生剤で治療が可能。

メチシリン耐性黄色ブドウ球菌
メチシリン抗生剤で治療できない。

特にウイルスは他の生物の細胞に寄生し、その中で増殖しながら生きているけど、この過程で変異が容易に起こることがあるぞ。

ウイルス変異の過程
宿主細胞でウイルスの遺伝子に基づきタンパク質を合成するとき、ウイルスの変異が発生する。

101

本当にインフルエンザだったらどうする？

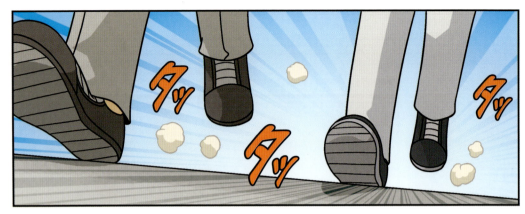

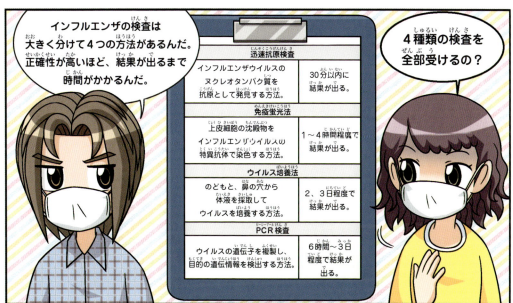

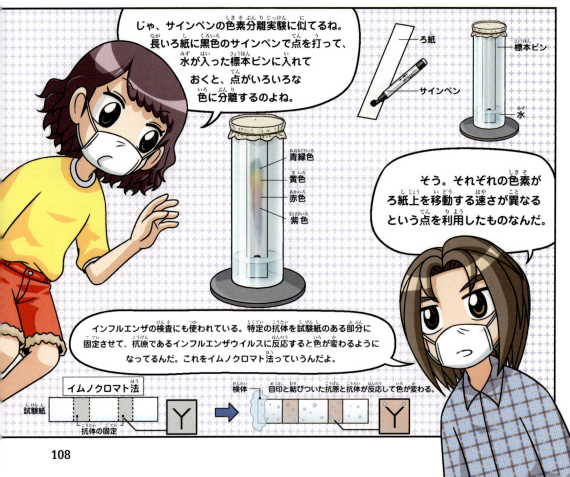

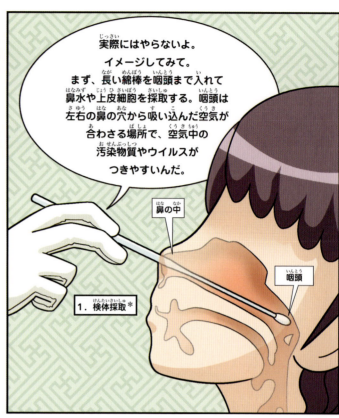

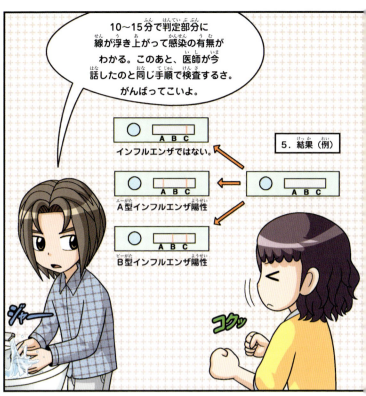

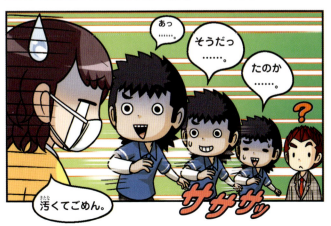

クロマトグラフィー色素分離実験

実験報告書

実験テーマ
クロマトグラフィーを利用した植物色素の分離実験を通じて、インフルエンザ検査キットの原理を理解してみましょう。

準備する物
❶試験管の台　❷ホウレンソウ　❸ものさし　❹鉛筆
❺スポイト　❻ろ紙　❼毛細管
❽展開液（石油エーテル・アセトン）
❾抽出液（メタノール・アセトン）　❿乳棒・乳鉢
⓫セロハンテープ　⓬試験管　⓭ハサミ

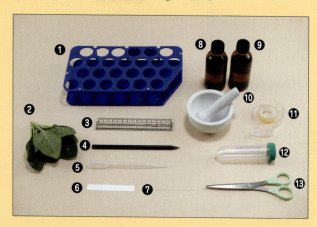

実験予想
クロマトグラフィーを利用してホウレンソウの色素が分離できるでしょう。

注意事項
❶ろ紙をつかむときは、端をつかみます。
❷ホウレンソウの汁をろ紙につけるときは、一度つけた汁が乾いてから次をつけます。
❸展開液や抽出液が皮膚につかないよう注意しましょう。

実験方法

1. 乳鉢にホウレンソウと抽出液10mlを入れて、乳棒でつぶします。
2. ろ紙の片方の端から2cmの高さになる場所に鉛筆で横線を引き、中央に原点となる印をつけます。
3. 毛細管で①のホウレンソウ汁を取り、ろ紙の原点に10回つけます。
4. スポイトで試験管に展開液2mlを入れた後、クロマトグラフィーの下端が展開液に軽く触れるように固定します。
5. 少し後、ろ紙を取り出して、分離した色素を観察します。

＊展開液がろ紙の高さの10分の9まで上がってきたら取り出してください。

実験結果

原点からの距離によって黄緑色、緑色、黄色など、さまざまな色の色素が分離しました。

どうしてそうなるの？

　クロマトグラフィーは、各物質が溶媒によって移動する際に生じる速度差を利用して混合物を分離する方法のことをいいます。実験で現れたさまざまな色素は、ベータカロテンやキサントフィルなど、ホウレンソウの葉緑体の中にあった色素物質です。クロマトグラフィーは病気の診断にも使われています。これをイムノクロマト法といい、インフルエンザや肝炎、肺炎などの病気を素早く簡単に診断できます。

デング熱検査キット

©Shutterstock

第6話

友情の証、そして別れ

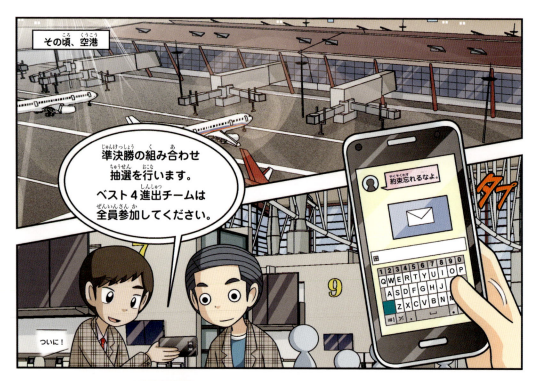

感染と伝染病

　病気を引き起こす細菌やウイルスなどの病原体が動物や植物の体内に入って増殖することを「感染」、それによる病気を感染症といいます。そして感染した病気が他の生物にうつる性質を持っていれば、これを「伝染病」といいます。感染症と伝染病について一緒に見てみましょう。

病原体による分類

　病気の原因が何かによって感染症を分類することができます。細菌の作る毒素などによって病気になる「細菌性感染症」、ウイルスが宿主細胞に侵入して増殖し細胞の正常機能を妨害する「ウイルス性感染症」、赤痢アメーバのような原生動物（原虫）が体内に入ってきて病気を引き起こす「原虫症」などがあります。

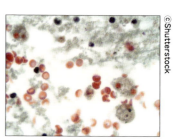
赤痢アメーバ　エントアメーバ科の原生生物で、大腸で繁殖する。

感染の媒介による分類

　他の生物に病気を伝染させる媒介が何かによって伝染病を分類することができます。伝染の媒介は、病原体によって汚染された空気や水、食べ物、感染者との直接的な身体接触、蚊やげっ歯類などによって行われます。空気を通じた伝染病には結核や麻疹などがあり、水と食べ物を通じた伝染病には腸チフスやコレラなどがあります。また、感染者との身体接触による伝染病には梅毒のような性病が、動物による伝染病には脳炎やマラリア、ツツガムシ病などがあります。

さまざまな病原体を含む汚染された水

マラリアを感染させる蚊

伝染病を防ぐ防疫

　伝染病が発生したり広がったりするのを防ぐことを「防疫」といいます。防疫の対象は、伝染病の原因となる病原体や、感染経路、感染した個体などに分けられます。まず、伝染病患者が発生したら、保健所に報告する必要があります。そして感染が疑われる患者は、検査を通じて伝染病にかかったかどうかを確認しなければなりません。危険性の高い伝染病の場合は、患者を隔離し、伝染病患者が過ごしていた場所や使用していた物などをきれいに消毒します。そして伝染病発生地域の住民や患者に接触した人々を中心に検査や予防接種を実施し、伝染病が広がった原因を綿密に調査して感染源を取り除きます。

❶ 患者発生

❷ 発生報告

❸ 病理検査

❹ 隔離および治療

❺ 消毒

❻ 感染源調査

TIP 伝染病予防のための生活ルール

❶ 正しい手洗い方法で、石けんを使って30秒以上手を洗う。まずは流水で手をぬらし、手の甲、指先、爪の間、指の間、親指、手のひらを洗い、最後に手首を洗う。
❷ せきやくしゃみをする際は、手ではなくティッシュや服の袖で口と鼻を覆い、症状があるときは公共の場所では必ずマスクを着用する。
❸ 多くの人が一緒に利用する物と場所をよく消毒する。
❹ 症状が現れたら、他の人との接触を避け、すぐに、近くの医療機関で診察を受ける。
❺ 伝染病患者は、療養期間中は学校や会社など人が多いところへの外出を避ける。

日本語版編集協力　東京大学サイエンスコミュニケーションサークルCAST

⑭ 感染と伝染病の対決

2024年5月30日　第1刷発行

著　者　文　ストーリーa．／絵　洪鐘賢(ホンジョンヒョン)
発行者　片桐圭子
発行所　朝日新聞出版
　　　　〒104-8011
　　　　東京都中央区築地5-3-2
　　　　編集　生活・文化編集部
　　　　電話　03-5541-8833（編集）
　　　　　　　03-5540-7793（販売）

印刷所　株式会社リーブルテック
ISBN978-4-02-332334-6
定価はカバーに表示してあります

落丁・乱丁の場合は弊社業務部（03-5540-7800）へ
ご連絡ください。送料弊社負担にてお取り替えいたします。

Translation：HANA Press Inc.
Japanese Edition Producer：Satoshi Ikeda
Special Thanks：Kim Da-Eun / Lee Ah-Ram
　　　　　　　　（Mirae N Co.,Ltd.）

読者のみんなとの交流の場「ファンクラブ通信」は、クイズに答えたり、投稿コーナーに応募したりと盛りだくさん。「ファンクラブ通信」は、サバイバルシリーズ、対決シリーズ、ドクターエッグシリーズの新刊に、はさんであるよ。書店で本を買ったときに、探してみてね！

おたよりコーナー 1
ジオ編集長からの挑戦状
『○○のサバイバル』を作ろう！

みんなが読んでみたい、サバイバルのテーマとその内容を教えてね。もしかしたら、次回作に採用されるかも!?

例）冷蔵庫のサバイバル
何かが原因で、ジオたちが小さくなってしまい、知らぬ間に冷蔵庫の中に入れられてしまう。無事に出られるのか!?（9歳・女子）

おたよりコーナー 2
キミのイチオシは、どの本!?
サバイバル、応援メッセージ

キミが好きなサバイバル1冊と、その理由を教えてね。みんなからのアツ～い応援メッセージ、待ってるよ～！

例）鳥のサバイバル
ジオとピピの関係性が、コミカルですごく好きです!! サバイバルシリーズは、鳥や人体など、いろいろな知識がついてすごくうれしいです。（10歳・男子）

おたよりコーナー 3
ケイ館長のサバイバル美術館

上手い！

みんなが描いた似顔絵を、ケイが選んで美術館で紹介するよ。

例）

みんなからのおたより、大募集！

❶コーナー名とその内容
❷郵便番号 ❸住所 ❹名前 ❺学年と年齢
❻電話番号 ❼掲載時のペンネーム（本名でも可）
を書いて、右の宛先に送ってね。
掲載された人には、サバイバル特製オリジナルグッズをプレゼント！

● 郵送の場合
〒104-8011 朝日新聞出版 生活・文化編集部
サバイバルシリーズ ファンクラブ通信係

● メールの場合
junior@asahi.com
件名に「サバイバルシリーズ ファンクラブ通信」と書いてね。

ファンクラブ通信は、サバイバルの公式サイトでも見ることができるよ。
→ 科学漫画サバイバル

※応募作品はお返ししません。
※お便りの内容は一部、編集部で改稿している場合がございます。

© Han Hyun-Dong/Mirae N

サバイバル図書館

「科学漫画サバイバル」シリーズが読めるサイト

無料で読める！

お気に入りのタイトルを見つけよう！

いつでも「ためし読み」
「科学漫画サバイバル」シリーズの
すべてのタイトルの第1章が読めます

期間限定で「まるごと読み」
サバイバルや他のシリーズが
1冊まるごと読めます

最初は大人と一緒にアクセスしてね！

ウェブサイトはこちら！

※読むには、朝日IDと
サバイバルメルマガ会員の
登録が必要です（無料）

© Han Hyun-Dong /Mirae N